Zélie et les Gazzi

ISBN 978-2-211-21016-4

Loi n° 49.956 du 16 juillet 1949 sur les publications destinées à la jeunesse : septembre 2010
Dépôt légal : janvier 2013
Imprimé en France par Clerc à Saint-Amand-Montrond

Édition spéciale non commercialisée en librairie

Adrien Albert

Zélie et les Gazzi

Illustrations de l'auteur

l'école des loisirs

11, rue de Sèvres, Paris 6e

Passe-moi le pain.
Non.

Depuis toujours, les trois frères Gazzi habitent l'appartement D escalier C, cinquième étage.

Comme ils ne savent rien faire, ils s'en-nuient. Et comme ils s'ennuient, la journée se termine rarement sans une bagarre.

Et la voisine du quatrième monte régulièrement se plaindre du bruit.

Vous voulez que j'appelle la police ?
Non M'dame.

On n'a qu'à inventer un jeu.

C'est nul, d'inventer.

Si au moins on avait
plein de sous, on pourrait
s'acheter plein de jouets.

« Plein de sous »...

Le plus simple
ce serait d'en voler...

On pourrait voler
la boulangère !

Sauf qu'après
on n'aura plus
le droit d'y aller,
à la boulangerie.

Et si on se déguisait ?

Et on fait comment
pour se déguiser ?

Pour se déguiser ?
bah, on fait comme ça !

Non non, je sais.
La voisine de l'appartement B
est couturière. Si on la
kidnappe, peut-être qu'elle
voudra bien nous aider.

C'est parti !

Attendez-moi!

Tu peux dire à ta
Maman de venir,
s'il te plaît ?

Maman est partie
pour tout
l'après-midi.

La voisine est absente, mais pas question de laisser tomber. Les garçons attrapent la petite fille et se précipitent dans l'appartement.

Ils ligotent la gamine et étudient le matériel.

Rhhaaaïaïaïaïï !

À l'aide !
À l'aide !

Vous m'auriez demandé
gentiment dès le départ,
ça ne serait pas
arrivé.

Les Gazzi décident d'expliquer leur plan à la petite fille.

En quoi pensez-vous vous déguiser?

Ils n'en ont pas la moindre idée.

Eh ben... euh...

Et si je me déguisais en mon frère !

Ah ouais, génial !
lui en moi,
l'autre en lui,
et moi en lui !

La petite fille apporte ses livres préférés pour aider les garçons à trouver des idées.

Et en château, c'est bien, ça ?
Non, château, c'est pas un déguisement, par contre tu peux faire princesse.
Oh non ! C'est moi qui fais la princesse.

Je fais quoi, alors ?
Et en gros chat ? C'est bien peut-être ?
Oui super, on pourrait même dire que tu serais le chat de la princesse.

Une étoile de mer ?
C'est un peu
compliqué.

Ça veut dire
qu'on ne peut
pas le faire ?

Mais si,
on va le faire.

La petite fille, qui se prénomme Zélie, sait beaucoup de choses, elle dirige les opérations.

Ne bouge pas
ou je risque
de te couper
une jambe sans
faire exprès.

D'accord,
Zélie.

Une robe de princesse, faut que ça touche par terre, sinon ça fait pas princesse.
Bien sûr, Zélie.

Si tu ne dessines pas les oreilles, ton chat, il ressemblera à une assiette.

Tu as raison, Zélie.

C’est au moment des premiers essayages qu’arrive la maman de Zélie.

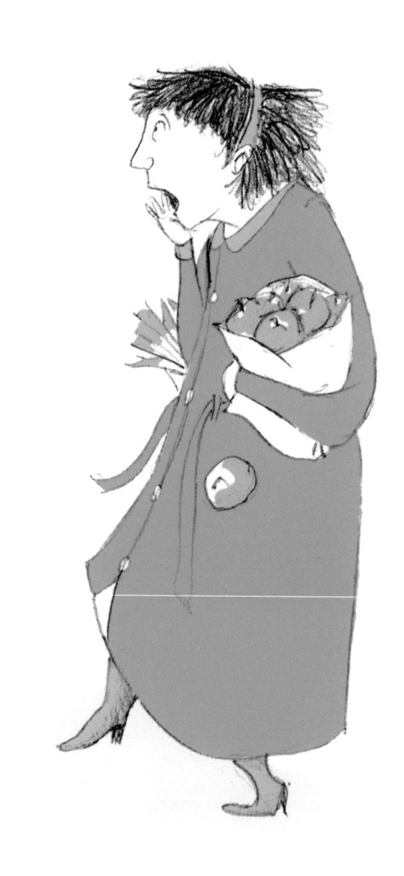

Il faut voir le désordre…

Il est tard,
vous me rangez
ce bazar !
Après quoi, tes
copains rentreront
chez leur maman.

J'avais dit
qu'on me
ferait
un collier !

Et mes pattes
de devant ?

Et on devait
mettre des petits
bouts d'algues
pour décorer...

Du calme, du calme. Je vais en parler à Maman.

Zélie raconte tout à sa maman. La maman n'est pas tellement d'accord pour qu'ils aillent voler les sous de la boulangère. Par contre, elle veut bien que les trois frères reviennent voir Zélie.

Youpi !
C'est bon
pour demain
après-midi !

Comme prévu, le lendemain, les frères Gazzi reviennent.

Après mon étoile de mer, je ferais bien une saucisse.

Une fois leurs costumes terminés, les Gazzi se lancent dans de nouveaux déguisements, puis d'autres encore, jusqu'à posséder une riche et belle collection.

C'est ainsi que les trois frères Gazzi renoncèrent au crime...

... Et tiennent aujourd'hui, au rez-de-chaussée, un commerce.

ULANGERIE

GAZZI FRÈRES
vêtements sur mesure
pour occasions particulières
ouvert

Et chaque samedi, avec les sous qu'ils ont gagnés, les trois frères achètent plein de jouets pour Zélie.

mon premier
aspi
PUZZLE
CHATONS

Posez ça là, merci.

fin